Uaireigin ghabh sgrìobhaiche eagal.
Ach thug a charaid misneachd dhan sgrìobhaiche.
B' e ainm a charaid Sarah Lanier
(no Sarah Goodrich mar a bh' oirre às dèidh sin).
Tapadh leat, a dheagh charaid.
Sgrìobh an nobhail.
Le gaol - K.W.

Dha Sonia Chaghatzbanian

- J.C.

Le rèite eadar Leabhraichean Margaret K McElderry,
Roinn de Leabhraichean Chloinne Simon & Schuster,
1230 Avenue of the Americas New Iorc, New Iorc 10020, agus Acair,
7 Sràid Sheumais, Steòrnabhagh, Eilean Leòdhais HS1 2QN

An tionndadh Gàidhlig Norma Nicleòid
Dealbhachadh an leabhair Ghàidhlig Joan MacRae-Smith

LAGE/ISBN 9780861523023 (13) 0861523024 (10)

Clò-bhuailte ann an Sìona
2 4 6 8 10 9 7 5 3 1

Gheibhear clàr catalog CIP airson an leabhair seo ann an Leabharlann Bhreatainn.

Chuidich Comhairle nan Leabhraichean am foillsichear
le cosgaisean an leabhair seo.

Tha Acair a' faighinn taic bho Bhòrd na Gàidhlig.

An t-Eagal

Karma Wilson

dealbhan le Jane Chapman

Leabhraichean Margaret K. McElderry
New Iorc   Lunnainn   Toronto   Sydney

Tha a' choille cho gruamach
Sa bhaile bheag ud thall,
'S tha mathan mòr a' gluasad
Le ceum goirid trom.

E ga tholladh le acras
Is goirteas na mhionach,
An aimsir fuar 's cho ro fhuar -
Tha 'm mathan a' tilleadh.

Cha do ràinig e dhachaigh
Aig dol fodha na grèine,

Tha e le eagal,
Tha e na èiginn

Nach fhaigh e air ais,
Gun chaill e shlighe,
Gu faigh e bàs
Le dìth a' bhìdh.

Chan fhaic e leus le gaoth is frasan,
Cnap mòr donn gun cheann gun chasan.
Cha tèid 's cha tig, cha tig 's cha tèid,
A cheann cho goirt, a shùil air sèid.

Ars esan, fo ghruaimean,
"Truaghan mise!"

Mathan bochd
a' gabhail
an eagail …

'S am broinn na h-uamha
Aig an teine,
"Cha till, cha till,
Cha till e tuilleadh,
Cha till gu e gu bràth
Gu là na cruinne."

Uisg' is gèile,
Feasgar garbh,
Tha mi 'n dòchas nach
Eil Mathan marbh.

"Feumaidh sinne," ars a chàirdean,
"A dhol ga lorg mach chun na sràide.
Dè ma chaill e thud 's a thad,
Gun chaill e shlighe car mu char?"

"Feumaidh sinne
Togail oirnn,
A-mach à seo sinn
Air a thòir."

Mathan bochd
Le deòir na shùilean,
Crith na chnàmhan
Is na ghlùinean.

Craobhan àrd'
Gun bhlàth gun duilleach,

Mathan bochd,
A chridh' gus briseadh.

Lasaidh iad lamp',
Bheir iad sùil mun cuairt,
Suas is sìos,
Is sìos is suas.

Ceangailt' ri chèile,
Chùm iad orra,
Gaoth is uisg'
Dol na bu dorra.

Dh'èigh iad, "Mathan, mathan, càit a bheil thu?"

Mathan bochd

A' gabhail an eagail.

Sheas am mathan
'S ghleus e chluais,
Chual' e èighe,
Stad e cruaidh.

Sgèith eòin nan speuran
Aost' is òg,
Os a chionn
A' dèanamh ceòl:
"Seall air Mathan,
Tha e beò."

Gun e ach slatan bhon an doras,
Fliuch is fuar an siud na laighe!

A charaidean a' dèanamh air,
Gach geàrr is isean 's an luch bheag,
A' toirt cofhurtachd is gaol,
Gun ghuth air fuachd,
Gun ghuth air gaoth.

Siud iad còmhla fon a' phlaide,
Uisg' is gaoth
Air gabhail seachad,
Cuid nan dùisg
Is cuid nan cadal.

Is tron oidhche tha iad seasgair,
Air falbh bho ghaoth is fuachd an fheasgair,
Taingeil airson blàths is càirdeas,

H-uile duine nise sàbhailt.